Les amis

Oie et Nuage

Ce livre appartient à:

Écrit et illustré au Canada 

DaintyBooks.com

Nous animons également des dessins animés sur DaintyProductions.com
ISBN # 978-1-7773479-7-0

Écrit par: Candace Carrothers

Illustré par: Adrienne Brown

Réalisé par: Jennifer Dainty

Traduction par: Kara Dainty

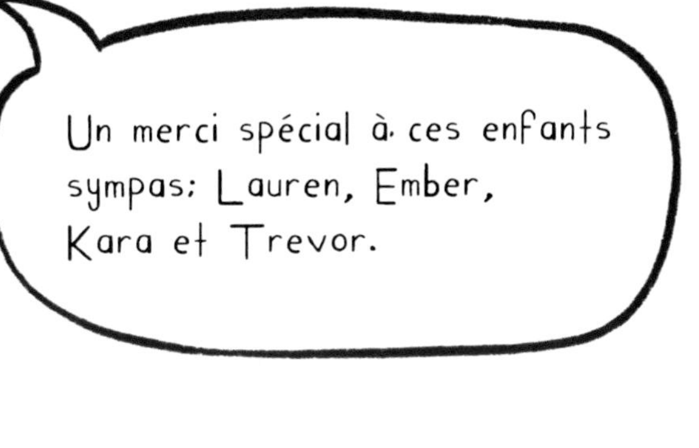

Bonjour Nuage...
Comment vas-tu?

Excité!

Excité?

Oui, je suis excité!
J'ai changé de forme.

Oh non! Tu as changé de forme? J'aime bien quand tu es un nuage.

Ne t'inquiète pas Oie. Je reste tout de même un nuage mais avec une forme différente.

Quelle forme?

De la pluie!

Je vais laisser tomber la pluie. Youpi! C'est tellement amusant de me transformer en pluie. J'arrose partout.

Je t'aime aussi quand tu es en forme de pluie.

Oh non! Pluie, je ne te vois plus. Où as-tu disparue?

Oie, je suis ici dans la rivière.

Dan la rivière? Mais moi je t'aime en forme de pluie.

Ne t'inquiète pas Oie! Ceci sera amusant. Saute dans l'eau de la rivière et allons nous promener.

J'aime être dans la rivière parce que nous pouvons naviguer vite. Wow! Nous nous dirigeons vers l'océan!

Rivière, où es-tu disparue?

Je ne manque pas, Oie. Je suis maintenant dans l'océan. J'aime être dans l'océan si vaste. On peut tellement s'amuser sur des vagues géantes!

J'adore surfer sur les vagues. Allons-y!

Regarde Oie, voici M. Soleil! Avec l'aide de M. Soleil, je redeviendrai un nuage par le processus naturel d'évaporation.

Viens ici Nuage.

Est-ce que c'est toi, Nuage?

Oui, c'est moi Oie.
Toutefois, j'ai une nouvelle
et belle forme.

Oui, c'est une belle forme. Je t'aime, Nuage. Nous avons eu tellement de plaisirs que j'ai hâte de recommencer le processus.

Moi aussi, Oie.

Tout comme Nuage sest transformé, toi aussi tu changeras. Et, comme Nuage, peu importe le changement tu dois t'aimer et t'amuser. Au début, ton évolution peut te faire peur. Toutefois, elle t'amènera à d'incroyables aventures.

La fin.

Suivez Oie et Nuage dans leur prochaine aventure.

Made in United States
North Haven, CT
01 July 2022